Dans la mare

Rédaction : Gillian Doherty
Remerciements à Margaret Rostron et à John Rostron
pour les renseignements sur les formes de vie dans une mare.

Pour l'édition française :
Traduction : Stéphanie Serazin
Rédaction : Renée Chaspoul et Nick Stellmacher

Dans la mare

Anna Milbourne
Illustrations : Mat Russell
Maquette : Laura Parker

Du côté de la mare, un beau jour de printemps...

deux cygnes gracieux glissent au fil de l'eau...

et des canards plongent la queue en l'air, en quête de nourriture.

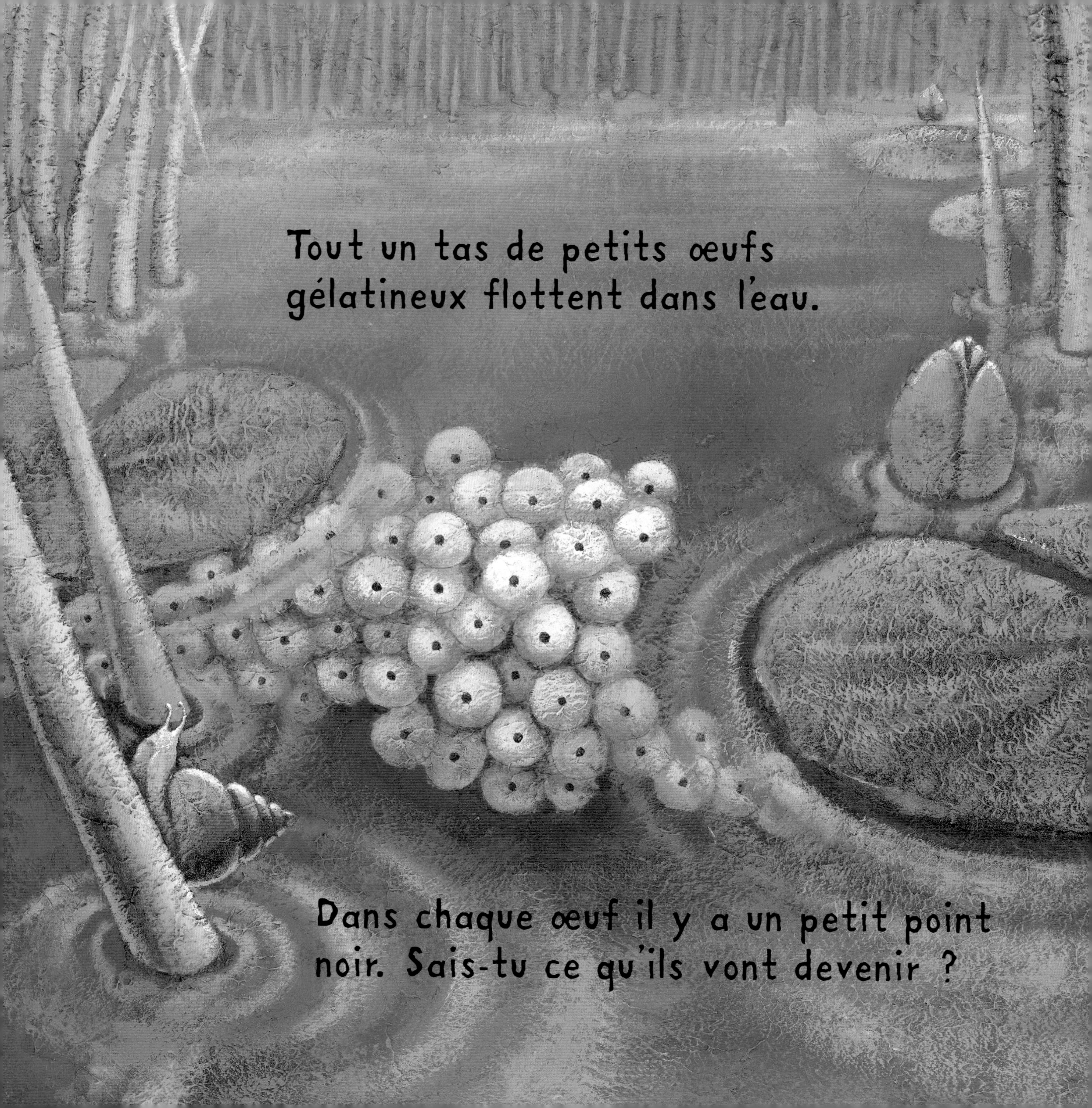

Tout un tas de petits œufs
gélatineux flottent dans l'eau.

Dans chaque œuf il y a un petit point
noir. Sais-tu ce qu'ils vont devenir ?

De jour en jour,
les petits points se
mettent à grandir.

Ils grossissent

et **grossissent**...

Bientôt, chacun devient
un petit têtard.

Les têtards sortent de l'œuf
en se tortillant...

et s'en vont à la nage-gigote.

Alors que le dernier petit
têtard se libère, une sombre
silhouette se dessine au-dessus.

Soudain, un énorme poisson s'élance.

Ses mâchoires pleines de dents
s'ouvrent tout grand, et...

clac !

Le petit têtard s'échappe juste à temps.

Il commence à faire chaud, et le printemps cède la place à l'été.

Des libellules chatoyantes se poursuivent...

et un éphémère effleure délicatement la surface de l'eau.

Là-bas dans les roseaux, on entend pip, pip, pip !

Un par un, six canetons duveteux plongent dans la mare.

Ils barbotent en ligne ondulée derrière maman canard.

Certains s'arrêtent pour
admirer les papillons...

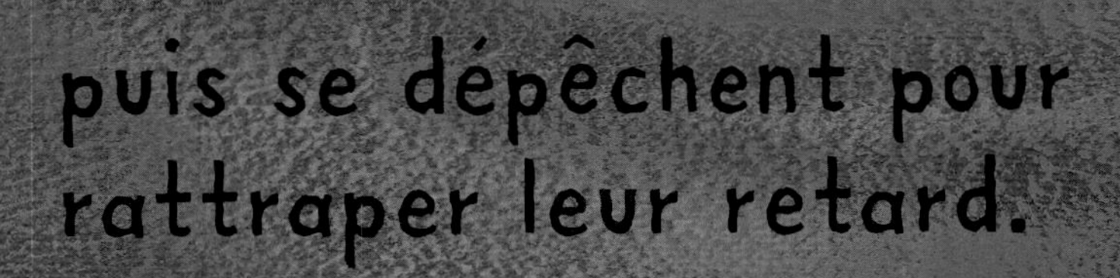

puis se dépêchent pour
rattraper leur retard.

Sous l'eau, le petit têtard
commence à se transformer.

Il lui pousse deux petites
pattes devant et deux derrière.

Sa queue frétillante
rapetisse de plus en plus.

Puis en un clin d'œil...

Il est devenu une grenouille !
Hop là !
Hop là !

Elle bondit de nénuphar en nénuphar, et explore la mare.

À cet instant, une mouche
étourdie passe par là.

Rapide comme l'éclair, la grenouille
déroule sa langue poisseuse.

Miam !

Puis hop là ! hop là !

Elle plonge dans l'eau.

En battant l'eau de ses pattes palmées,
elle s'en va bien vite à la nage.

Si tu reviens à la mare un beau jour
de printemps, tu verras peut-être...

plein d'œufs gélatineux
qui flottent sur l'eau,

et la petite grenouille
qui coasse sa chanson.